Chi

une vie de chat

KONAMI KANATA

KONAMI KANATA

Chat-pitre 1

– Tu veux des gratouillis ? demande Papa en voyant Chi ronronner et montrer son bidon tout rond. En voilà !

Yohei et Maman arrivent à leur tour pour câliner la mini-chatte.

– Oh z'aime bien quand ils sont tous autour de moi ! Ze veux des caresses ! Miaaaw! Mais qu'est-ce qu'ils font ?

– Grrrr… KSSS ! Laissez-moi tranquille !

Et Chi s'en va, na, voilà. Elle va plus loin, sans personne pour lui tirer la queue, les pattounes, les oreilles !

– Je crois qu'on l'a un peu trop tripotée… On va la laisser un peu tranquille, dit Maman.

Papa, Maman et Yohei lisent une jolie carte postale de Mamie. Ils discutent autour de la table. Ils ont beaucoup de choses à se dire !

– De quoi ils parlent ? se demande Chi. Ze vais quand même leur montrer que ze suis là...

Tout le monde parle de la carte et personne ne fait plus attention à Chi. Quoi, comment ça « plus attention à Chi » ? Mais une petite chatounette si mignonne, c'est impossible. Pour bien le prouver, Chi ronronne un peu plus fort.

Papa, Maman et Yohei continuent leur conversation. Ça ne va pas du tout ! Chi décide de passer près d'eux en courant, pour bien rappeler qu'il y a une minette parfaite dans les parages. Pas de réaction ! Chi se met alors à sauter dans tous les sens.

– Vous avez vu ça ?

Toujours rien.

Chi commence à être chat-crément vexée ! Elle lance un regard de chaton vraiment pas content à la famille.

Bon ! Alors si c'est ça, elle va aller à un endroit où ils ne pourront plus l'ignorer ! Elle prend son élan et fait un bond digne des plus grands félins...

Chi a posé sa patte sur la carte de Mamie.

– Miaa ! Arrêtez de m'ignorer !

Cette fois, c'est réussi ! Avec un tel caractère, comment ignorer une si mignonne petite boule de poils ?

Chat-pitre 2

– Zouer dans le sable, c'est vraiment chapounisant* !

Yohei aussi passe un bon moment, à jouer avec sa toute petite chatte.

* Chapounisant : très rigolo chez les chats.

On sait que Chi est chat-crément têtue, mais le petit garçon aussi ! Alors quand Chi décide que le seau à sable est à elle... la bataille s'engage !

– Ze l'ai eu avant toi ! dit Chi.

– Non ! J'en ai besoin ! réclame Yohei.

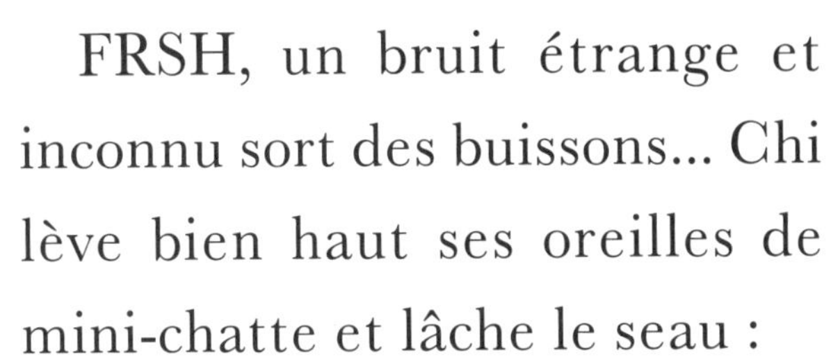

FRSH, un bruit étrange et inconnu sort des buissons... Chi lève bien haut ses oreilles de mini-chatte et lâche le seau :

– Attention ! Quelqu'un approche !

Yohei ne comprend pas mais il est très content d'avoir gagné !

Chi est immobile... Les oreilles aux aguets, la truffe levée, tous ses sens de petit chat chasseur sont en alerte ! Yohei se rend compte que quelque chose ne tourne pas rond...

– Ben, qu'est-ce qu'il y a, Chi ?

Yohei et Chi sont immobiles devant la grosse créature, sombre et imposante, qui vient d'entrer dans le jardin. C'est énorme, c'est silencieux, c'est poilu, ça a des yeux méchants et ça fixe les deux amis sans ciller !

– Qui c'est ? demande Chi. Yohei ne répond pas et attrape brusquement la petite minette, PFFIUUUT, et se précipite dans le salon, pour mettre son amie en sécurité. Ouf, les voilà tous les deux bien à l'abri dans la maison de Papa et Maman !

Chi n'a pas tout compris. C'est qui ? C'est quoi ? Et pourquoi Yohei a couru si vite ? Soudain, dans le dos de Chi un nouveau bruit inquiétant se fait entendre. Tap-tap-tap. Comme un bruit de pattes qui se poseraient sur le parquet...

Très tranquillement, la grosse bête noire s'avance dans la pièce. Chi en reste bouche bée : la chose les a suivis à l'intérieur, dans le salon de Papa et Maman ! Et Yohei ?

Chat-pitre 3

Chi ne se laisse pas faire !

– Sors de ma maison ! crie-t-elle de toutes ses petites forces de mini-chatte.

– Oh non, dit Yohei, bleu de peur, attention Chi !

La grosse bête approche sa gueule gigantesque de la toute petite tête de Chi. Elle se penche vers la mini-minette. Yohei veut faire quelque chose mais il ne sait pas quoi !

En voyant sa chatounette seule face à la gueule du monstre, Yohei retrouve son courage ! Il tend la main ! Il l'approche vite vite ! Et...

La grosse bestiole regarde la main de Yohei s'agiter comme si c'était un tout petit moucheron pas dangereux du tout.

– Oh là là, Yohei, t'es nul, souffle Chi. Bon. Puisque c'est à moi de protézer la maison (et Yohei), z' y vais !

Elle plante ses petites pattounettes fermement dans le sol, hérisse sa fourrure, gonfle la queue et crache... Ah ! Ah !

– C'est pas ta maison ! T'as même pas le droit d'y entrer !

Maman entend les cris de Chi. La voilà qui arrive, l'aspirateur à la main. Et sur quoi elle tombe ? La mini-minouche en train de défendre Yohei d'un énorme chat noir ! Résultat ?

Le gros chat reste immobile un instant, et puis il s'en va, tap tap sur le parquet, puis FRSH dans les buissons. Quand Papa rentre ce soir-là, Yohei et Chi lui racontent leur aventure.

– C'est sûrement le chat dont parlaient les voisines, dit Maman.

– Si les voisins guettent ce gros chat, ils vont être encore plus vigilants et finir par remarquer Chi... C'est embêtant.

– Tu sais, Papa, ajoute Yohei, j'ai défendu Chi !

– Oh, l'autre ! Tu sais, Papa, corrige Chi, c'est moi qui ai défendu Yohei ! Il ne faisait pas le fier. Pas vrai, Yohei ?

« Mais au fait... » se demande Chi...

Chat-pitre 4

– Papa n'arrive pas à avancer dans son travail, explique Maman à Yohei. Il est de très mauvaise humeur...

– Yohei, tu vas jouer calmement dans le salon, d'accord ?

Pendant que Maman installe le petit garçon loin du bureau, savez-vous qui se dit que c'est le moment idéal pour aller jouer avec Papa ? Eh oui, bien sûr.

Mais Papa est tellement concentré qu'il n'entend même pas les miaulements de la minouche. Il rature, barre, souffle. Il n'est vraiment pas content. Finalement, il roule sa feuille en boule et l'envoie vers la corbeille.

Oh là là ! Qu'est-ce qu'il y a dans le monde entier de plus chapounisant qu'une belle balle en papier froissé ?

Tap tap tap, Chi court vers la balle. Frshfrsh, elle lui donne de petits coups de pattoune. Puis, hihihi, repart en sens inverse.

Chat-buleux !

Pendant ce temps, Papa a la tête qui fait de la fumée à force de réfléchir et de ne pas trouver d'idée. Quand il se lève de sa chaise pour faire une petite pause, voilà ce qu'il découvre :

– Les chats sont si insouciants, soupire-t-il d'un ton un peu jaloux avant de sortir de la pièce.

Voilà Chi toute seule dans le bureau de Papa avec plein de choses magiques !

Des feuilles blanches sur lesquelles laisser des traces de pattounettes... des stylos que seul Papa a le droit de toucher (et Chi aussi, maintenant, puisque Papa est parti).

Papa revient, à pas lourds. Le pauvre, il n'a vraiment pas d'idée. Pas comme Chi qui a décidé de creuser dans le pot à crayons et de se rouler dans les piles de livres pendant que Papa faisait pipi...

– Arrête tes bêtises, Chi ! Quel bazar !

Mais la petite chatte a les griffounettes plantées dans un livre spécial pour les idées des papas. Elle est exceptionnelle !

– Bien joué, Chi ! C'est exactement ça qu'il me fallait !

Chat-pitre 5

Ce midi, Chi s'apprête à déguster son déjeuner quand, soudain, la grosse bête noire réapparaît à la porte du jardin !

Dehors, on entend les voisines :

– Il a cassé mes pots de fleurs ! Il n'a pas pu disparaître ! Où est-il parti ?

Chi tourne le dos au jardin et se met à miauler.

– Maman !
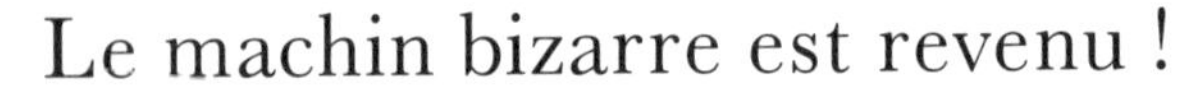
Le machin bizarre est revenu !

Mais Maman n'est pas là, et Papa et Yohei non plus...

« De toute façon, pense Chi, Yohei n'aurait servi à rien, la dernière fois il a été tout nul. Le monstre est entré dans la maison ! Il fait peur ! »

– Bon. Ze vais faire quelque chose. Ze dois tenir tête ! Grrr !

Pendant que Chi prend des décisions, le machin s'est mis à manger dans sa gamelle, croc-croc. Comment ose-t-il ?

Le machin lève le nez, regarde Chi en colère. Le machin n'est pas du tout impressionné. Zip, il replonge le museau dans la gamelle.

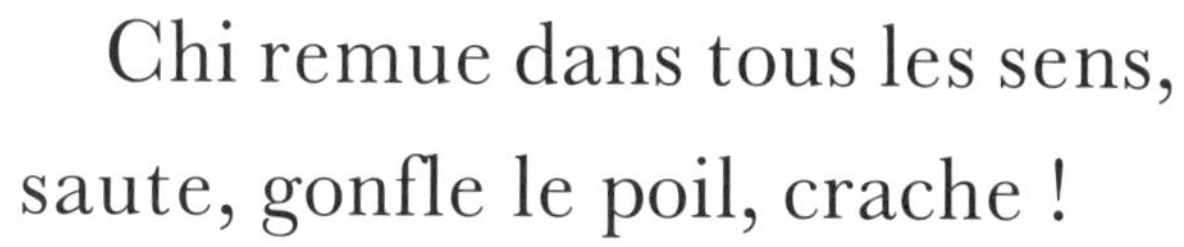

Chi remue dans tous les sens, saute, gonfle le poil, crache !

Mais le machin s'en fiche éperdument et Chi retombe sur le sol, découragée. Soudain, notre chatounette entend un gros bruit sourd tout proche.

C'est le machin ! Il est tout près ! Il est énorme ! Il s'approche de notre toute petite chatounette, les crocs brillants ! Aaaaah ! Il va manger Chi avec ses grandes dents ! Quelle horreur !

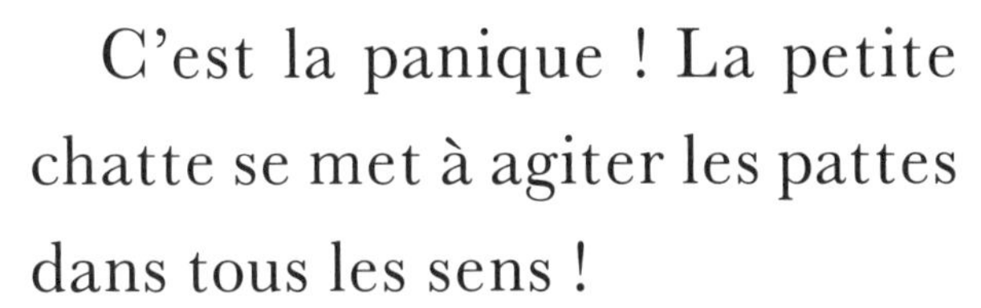

C’est la panique ! La petite chatte se met à agiter les pattes dans tous les sens !

– Nan ! Ze suis pas bonne à manzer !

Mais c’est trop tard. Le machin referme les mâchoires sur le cou fragile de Chi.

Mais le machin ne serre pas les dents, non : il saisit délicatement Chi et la soulève...

Chat alors !

« Il voulait zuste me remettre sur mes pattes ! » pense Chi.

Ouf ! Elle ne sait toujours pas ce que c'est que ce gros truc, mais au moins il ne l'a pas mangée !

Chat-pitre 6

Chi n'est pas au bout de ses émotions. Le gros machin noir qui est entré chez Papa et Maman vient à peine de la lâcher qu'il se dirige maintenant vers le coussin préféré de notre petite boule de poils.

– Ah non ! Mon coussin que ze mordille !

Tap-tap-tap, Chi se rue vers le coussin, et s'étale dessus comme une crêpe poilue !

L'énorme bête fixe la toute petite chatte et son petit poil dressé pour se faire plus menaçante.

Allons bon ! Voilà Chi de nouveau à sa merci ! Qu'est-ce qu'il va faire ? Une fois encore, il ouvre la bouche… et sort une langue toute rose. Aaaah !

Mais non, en fait, il lisse le poil de Chi !

– Tu étais tout ébouriffée ! dit le machin avec sa grosse voix qui part tranquillement s'allonger sur le tapis un peu plus loin.

– Bon, pense Chi. Il est plus gentil qu'il n'en a l'air.

Chi ne sait pas trop quoi penser.

Quand le machin tourne la tête, Chi hérisse tout de suite le poil. Alors le machin s'approche de nouveau pour remettre le poil de Chi bien lisse ! Ah non ! La chatounette sort sa petite langue de bébé chat et, zwit, zwit, elle se recoiffe toute seule ! Non, mais.

Slup, slup, Chi n'a jamais été aussi bien peignée... Le gros machin sort du salon et retourne dans le jardin.

Et frshh, le voilà qui se faufile à travers la haie. Ouf, pense Chi. Quelle aventure !

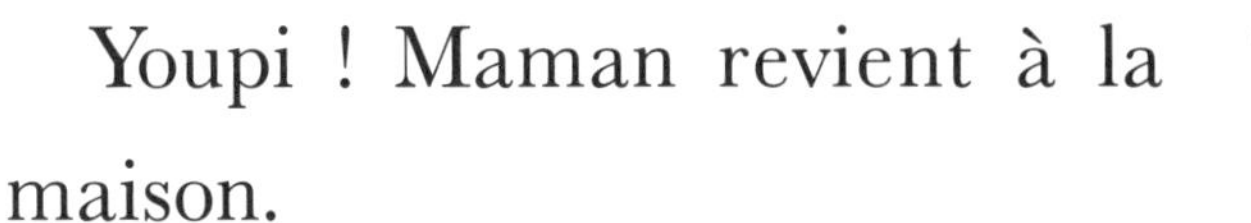

Youpi ! Maman revient à la maison.

– Tout le monde ne parle que de ce chat, dans l'immeuble… Oh, tiens, Chi a fini toutes ses croquettes ! Il y en avait pourtant beaucoup… Bizarre.

Mais Maman ne sait pas ! La bête inconnue est revenue ! Elle a failli manger Chi deux fois !

Et en plus on ne sait toujours pas ce que c'est que ce gros truc ! Quelle histoire !

Chat-pitre 7

– Le monstre est revenu ! explique Chi à Papa. Il est entré chez nous ! Miawmiawmiaaaw.

– Chi est bien excitée ce soir ! dit Papa qui ne comprend rien.

Et Maman, non plus, ne comprend rien !

– Oui et elle a mangé toutes ses croquettes.

Mais non ! C'est le gros machin qui a tout mangé ! Chi recommence à expliquer patiemment :

– Z'étais seule à la maison…

– Mais oui ! rigole Papa en tapotant la petite tête de Chi. C'est très bien !

Non, Papa ne comprend rien.

– J'ai faim ! dit Yohei.

– Ça tombe bien, c'est l'heure de dîner, répond Maman.

– Oh chic, dit Chi. Parce que moi, ben z'ai le bidon tout vide !

Mais il n'y a rien à manger dans la gamelle !

– Miaaa ! fait Chi.

– Moi aussi, ze veux dîner !

– Tu n'as pas donné de croquettes à Chi ? demande Yohei à Maman.

– Non. Elle a déjà beaucoup trop mangé. Si je lui en donne plus, elle va être malade.

Et tout le monde mange.

Sauf Chi !

– Les voisines m'ont encore parlé du chat aujourd'hui ! Il a cassé des pots de fleurs, et volé une tranche de saumon ! dit Maman.

– Mais il est comment, ce chat ? demande Papa.

– Miaaa ! Z'ai rien manzé à cause du monstre ! miaule Chi.

– Et il a mangé tout mon miam-miam ! ajoute Chi.

Mais Papa ne fait pas attention à Chi. Il essaie de se représenter le gros chat, en vain.

– Je sais ! s'exclame Yohei en allant chercher son livre d'images. Regarde, Papa, voilà, il ressemble à ça !

– Un ours ? s'étonne Papa.

– Oui ! dit le petit garçon.

– Oui ! C'est lui le monstre ! renchérit Chi.

– C'est vrai qu'il y a un air de famille ! dit Maman.

Tout le monde sait maintenant qu'il y a un gros ours brun avec un saumon dans la bouche qui traîne dans la résidence !

Chat-pitre 8

– C'est du lait, dit Papa, tu en veux ?

– Dulé ? demande Chi.

Chi goûte un peu de lait dans la main de Papa.

– Miaou ! Z'en veux encore ! Encore du dulé !

Mais Papa a reposé la brique de lait sur le comptoir et retourne travailler.

Chi voit le dulé posé tout en haut. Et la petite boule de poils est une petite chatounette chat-crément gourmande !

– Z'en veux ! Ze veux du dulé.

– Ze sais. Ze vais demander à Maman. Miaaaw ! Maman, donne-moi du dulé !

Maman se lève enfin.

Mais elle retourne servir Yohei et laisse notre chatounette la bouche grande ouverte… sans mettre de dulé dedans !

– Bah ?! Et mon dulé ? interroge la petite féline.

Chi voit Maman mettre du lait dans le bol de Yohei. Le délicieux liquide coule, blanc et léger, glouglouglou, sur les céréales de Yohei. Mais oui ! C'est comme ça qu'il faut faire ! Chi aussi veut du dulé.

Quand Maman voit sa petite chatoune tapoter sa gamelle, elle se dit que Chi veut davantage de croquettes.

Bon ! Personne ne comprend rien ici, et Chi veut du dulé, dulé, dulé ! Mais Maman se lève à nouveau… et range la brique de lait dans le frigo ! SNIF !

Quand Maman revient des courses, le soir, elle rapporte du dulé. Miaaa !

– Mais oui, dit Maman, tu aimes jouer avec les sacs en plastique, je vais te le donner !

Mais nooon !

Oh là là ! Le sac en plastique ! Ça fait du frrrt et du frsh et du krtschh ! C'est trop chapounisant ! Z'adore !

Chat-pitre 9

Aujourd'hui, Papa est malade… il est au lit avec de la fièvre. Chi, quant à elle, est en pleine forme…

Chi se penche au-dessus de Papa.

– Miaou ! Tu fais quoooi ?

Oh ! Chi vient de réaliser quelque chose : Papa n'est pas comme d'habitude !

Maintenant, Chi a la compresse de Papa accrochée à sa pattounette ! Trop drôle !

– Chi, rends-moi ça, soupire Papa en tendant faiblement la main.

– Oui, on zoue ! Papa !

Mais, même malade, Papa reste plus fort qu'une mini-chatte.

– Papa a gagné. Mais il y a plein d'autres choses ici.

Par exemple, le verre d'eau de Papa. Et ça tombe très bien, parce que Chi a soif !

Oh ! Même avec sa toute mini-tête de mini-chatounette, Chi reste bloquée dans le verre. Ch'est la panique !

Chi s'agite, remue sa tête, et fait du boucan. Ça résonne boum-boum-boum dans la tête de Papa. Il ouvre les yeux : schling, voilà Chi qui s'est libérée et s'est mouillé les pattounes.

– Miaaaw ! C'est mouilléééé !

Papa tout fatigué est obligé de réparer le bazar, pendant que Chi se sèche tranquillement à grands coups de langue.

– Bon, dit Papa. Ne rentre plus dans la chambre.

Et zoum, fermée la porte.

Chi arrête. Papa soupire de soulagement. Mais la mini-chatte a vu une proie par la fenêtre ! Alors elle tape encore à la porte pour le dire à Papa :

– Z'ai vu une proie ! Miaou ! Miaou !

Dans la tête de Papa, chaque mini-miaou fait un maxi-bruit... Et soudain, un énorme CLANG.

– Papa ! Tu es venu zouer !

Papa n'aura jamais la paix ! Il prend une ficelle et fait jouer Chi, encore et encore... Quand Maman et Yohei rentrent, Papa n'a pas dormi une seule seconde, mais...

Chat-pitre 10

Chi ferait bien un gros dodo. Elle est siiii chat-tiguée... Poc, elle se laisse tomber par terre. Mais le sol est un peu dur pour notre petite chatounette. Chi regarde aux alentours pour voir si elle trouve un endroit plus confortable.

Ah mais voilà un très bon endroit où dormir ! Bien moelleux !

Sauf que Yohei joue avec son avion, et que quand il se lève, Chi dégringole de son popotin.

– Yohei est trop remuant. Ze vais chercher ailleurs. Allons donc voir ce que fait Maman.

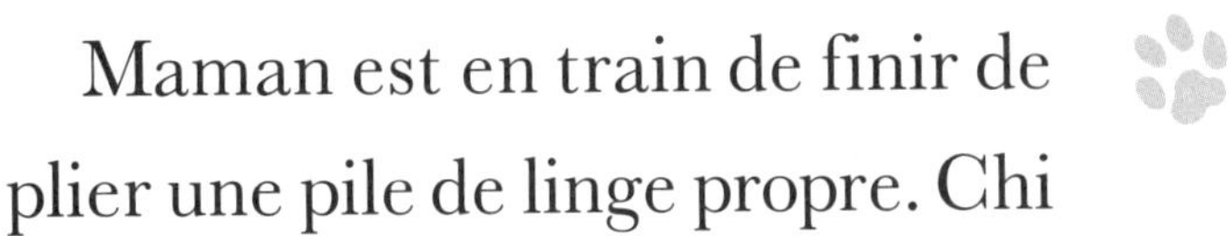

Maman est en train de finir de plier une pile de linge propre. Chi décide d'escalader la colline de tissus tout doux, tout bien pliés.

Mais… mais… Miaw, Chi fait basculer la pile et se casse la figure… et la pile que Maman a mis tellement de temps à faire, elle aussi, tombe.

– Va jouer plus loin, Chi , dit Maman, pas très très contente.

Chi repart.

– Il faut que ze trouve un bon endroit pour dormir. Oh, tiens, Papa aussi a décidé de faire une sieste. Son bidon a l'air très confortable.

Voilà Chi installée sur le ventre de Papa.

– Bonne nuit, Papa…

Mais avec ses oreilles de chat, Chi perçoit un bruit spécial : bobom, bobom. Bobom, bobom.

– Oh, se demande Chi, z'entends quelque chose. On dirait que ça vient de Papa…

C'est un bruit qui donne envie à Chi de poser ses pattounes sur quelque chose de très doux, frr, frsh, frr…

– Chi, qu'est-ce que tu fais avec tes pattes ? demande Papa.

Chi ne sait pas trop ! Elle a juste très besoin de se blottir contre la laine douce et chaude du bidon.

Papa est sûr que Chi a choisi son bidon à lui exprès. Il est trop content ! Sa petite Chi, sa mini-chatte, sa chatounette, sa chatounichette, lui fait des gros chat-lins !

– Elle se blottit contre moi !

Et dans son sommeil de petite chatte, Chi se dit :

– Ça me rappelle quelque chose… mais quoi ?

Chat-pitre 11

Yohei s'est endormi et le gros monstre est dans le jardin, mais Chi veille au grain !

– De quel droit il passe par mon zardin ? Où est-ce qu'il va ? C'est une mini-chatte curieuse… Et puis elle est obligée de surveiller le gros monstre !

Chi traverse les fourrés…

– Miaou ? Tu fais quoi ? Tu manzes de l'herbe ? Pourquoi ? C'est bon l'herbe ?

Le gros machin fait cronch-cronch et explique :

– Oui, un petit peu d'herbe de temps en temps c'est bon pour notre espèce.

– C'est quoi espèce ?

– C'est comme la famille.

La blague ! Elle n'est pas de la famille du gros truc qui fait cronch !

Il en dit, des chat-crées bêtises.

Le gros truc regarde Chi. On dirait qu'il veut expliquer quelque chose, mais finalement non. Il crache un peu d'herbe et s'en va.

– On zoue à cache-cache ? Ze t’ai trouvé !

Mais le gros machin ne répond rien, tend une énorme patte noire et tire Chi dans les feuilles.

– GRR ! fait le monstre.

– Oh non, pense Chi, ze déteste ces trucs…

Chi et le machin restent bien immobiles. Et le danger s'éloigne.

– Ouf ! pense Chi. C'était bien comme zeu, mais quand même, ça faisait peur !

– Hein ? Moi aussi ze dois monter ? Miaaaw ! Z'arrive pas !

Chi fait des petits boïng-boïng sur ses pattounettes, mais elle est encore trop petite pour escalader des murs !

– T'inquiète, dit le gros machin. Ça viendra.

– Mia ! Pour de vrai ? Moi aussi, ze vais sauter très très haut comme toi ?

Chi ouvre grand grand ses yeux de chatounette. Bah !

Qu'est-ce qu'il raconte ce machin ? Un… un « chat » ?

Chi réfléchit. Mais elle trouve vite la réponse !

Konami Kanata

Emmenez Chi une vie de chat avec vous...

LES PELUCHES

LA PAPETERIE

Glénat